# Les Derniers Géants

www.casterman.com

ISBN 978-2-203-01754-2
© Casterman 2008
Imprimé en Italie.
Dépôt légal : octobre 2008 ; D.2008/0053/412
Déposé au ministère de la Justice, Paris (loi n°49.956 du 16 juillet 1949 sur les publications destinées à la jeunesse).

François Place

# Les Derniers Géants

les Albums Casterman

C'est au cours d'une promenade sur les docks que j'achetai l'objet qui devait à jamais transformer ma vie : une énorme dent couverte de gravures étranges. L'homme qui me la vendit, un vieux matelot tanné et blanchi par des années passées dans les mâtures, prétendait la tenir d'un harponneur malais rencontré au cours d'une de ses lointaines campagnes de chasse à la baleine. Il en demandait un bon prix, prétextant que ce n'était pas une vulgaire dent de cachalot sculptée, mais une « dent de géant », sorte de talisman dont il se séparait à regret, poussé par les nécessités d'une vie que l'âge avait fini par rendre misérable.

Je pensai bien sûr à une supercherie, mais l'histoire était belle, et j'emportai la pièce pour deux guinées.

De retour chez moi, je m'empressai d'étudier cette nouvelle acquisition. Ma curiosité, piquée au vif, céda peu à peu la place à l'étonnement, puis à la stupéfaction. Sa taille exceptée (elle avait la grosseur d'un poing), cette dent était rigoureusement semblable à n'importe quelle molaire de sujet humain adulte.

Les gravures, étroitement entremêlées dont elle était ornée me demandèrent de longs mois d'observation attentive et de recherches méticuleuses. Mes efforts furent récompensés par la découverte, sur l'une des faces internes de la racine, d'une minuscule carte de géographie dont le dessin se perdait sous un enchevêtrement de figures bizarres. Mais l'ensemble représentait clairement le cours d'un fleuve, des chaînes de montagnes, une région enclavée. Ce ne pouvait être, selon la description donnée dans l'un des plus anciens ouvrages de ma bibliothèque, que le « Païs des Géants », aux sources du fleuve Noir.

Je fis mes malles et me préparai pour un long voyage.

Ainsi, au matin du 29 septembre 1849, moi, Archibald Leopold Ruthmore, je fis mes adieux à ma fidèle gouvernante Amelia, lui recommandant de veiller avec soin sur ma chère maison du Sussex et tout particulièrement sur le joyeux bric-à-brac de mon cabinet de travail.

On embarqua mes malles, je gravis à mon tour l'échelle qui reliait le pont du navire à la bonne vieille terre d'Angleterre, et nous appareillâmes.

Dès que nous eûmes gagné le large, le capitaine fit mettre toute la toile dessus ; le vaisseau, un vieil indiaman de la Compagnie des Indes, s'inclina majestueusement et se mit à courir sous la brise qui nous portait.

La cabine où je logeais était étroite et nauséabonde, et les cloisons de bois craquaient affreusement à chaque oscillation de la coque. Je m'efforçais malgré tout d'approfondir mes recherches sur le pays des Géants grâce aux nombreux ouvrages que j'avais emportés.

Le soir, je restais des heures allongé sur le pont à contempler les étoiles, bercé par le choc répété des vagues sur l'étrave empanachée d'écume. Je rêvais de mondes perdus, d'îles oubliées, de terres inconnues.

À Calcutta, où le vaisseau relâchait pour charger une cargaison de poivre et de cannelle, je me mis en quête d'un ancien camarade de collège. Officiellement, il avait fait fortune dans le commerce d'Inde en Inde, se vantant de posséder comptoirs et navires de Ceylan à Canton, mais la jonque à bord de laquelle il me reçut préférait manifestement les eaux troubles de la contrebande. C'était, quoi qu'il en soit, un homme discret et prévenant. Il m'offrit les services de son interprète et me fit débarquer, sans me poser de questions, à Martaban, en Birmanie. Je comptais en effet remonter le Salouen, puis le fleuve Noir.

L'interprète me présenta deux guides avec lesquels je perdis, outre la moitié de ma bourse, un temps précieux à négocier les conditions de mon équipée.

Je répartis les hommes, une vingtaine de solides gaillards, sur deux lourdes embarcations. La première emportait vivres et matériel de campement et ouvrait la marche sous le commandement d'un batelier familier de ces régions. Je suivais sur la seconde, entouré de mes précieux instruments : montre, boussole, sextant, armes de chasse, lunette astronomique, bocaux pour échantillons, presse à herbier et quelques autres babioles – le minimum pour un honnête voyageur scientifique.

Après deux mois de navigation sans obstacle notable, nous commençâmes à remonter le fleuve Noir. Les rameurs, pour garder la cadence, chantaient d'une voix âpre et rauque une mélopée lancinante renvoyée en écho par les lugubres falaises de la dent du Dragon.

Les falaises se rapprochant dans le cours supérieur du fleuve, le courant devint de plus en plus impétueux, bondissant à travers une série de rapides. Il fallut décharger, porter les bagages au prix de mille difficultés le long des rives escarpées et haler à force de bras nos esquifs ballottés entre les écueils. Deux hommes périrent dans cette malheureuse affaire, happés par le tourbillon des eaux sombres.

En amont de ce passage, les falaises disparaissaient sous une végétation luxuriante. La jungle nous submergea de ses miasmes fétides, saturés d'odeurs lourdes d'humus et de moisi. Parfois, un tigre rôdait sur la berge, nous adressant au passage un feulement réprobateur, puis s'évanouissait dans l'épaisseur des taillis.

Nous naviguâmes près de quinze jours dans la pénombre de ce tunnel de verdure. Le cours du fleuve était encombré de branches cassées, de bois flottés à demi pourrissants, de lianes pendantes comme de sinistres chevelures. Les hommes, épuisés, renâclaient. Je renvoyai le gros de la troupe sur les barques et continuai à pied avec les plus vaillants, non sans leur promettre une prime substantielle.

Dans un village perdu, nous trouvâmes un peu de repos et je fis l'acquisition de trois buffles placides contre deux méchants fusils et un tonnelet de poudre. Même ainsi, soulagés de la corvée du portage des bagages, nous progressions à grand-peine. Les journées, semblables et mornes, se succédaient dans une atmosphère moite de vivarium. Il nous fallait sans répit enjamber des racines gluantes, glisser sur des cailloux tranchants, patauger dans des marécages infestés de sangsues, endurer les piqûres des moustiques et des fourmis… L'expédition tournait au calvaire.

Je profitais des étapes pour collecter des spécimens de la flore et de la faune. Ce pays abritait de magnifiques espèces de papillons. La tenue de mon journal m'astreignait à de longues veillées. L'estimation des distances parcourues était rendue pratiquement impossible par les difficultés du terrain. À vrai dire, je me révélais piètre géographe ! Je me rattrapais en couvrant mes carnets d'aquarelles minutieuses. Lorsque la lassitude et le découragement me gagnaient, je reprenais courage en serrant dans ma main la dent de Géant. Mes compagnons, qui n'avaient pas ce recours, donnaient des signes d'inquiétude de plus en plus manifestes. Ils redoutaient d'aller plus avant, car nous étions à la lisière du pays des Wa, aimable tribu dont l'activité favorite tenait en trois mots : couper des têtes !

Une nuit, je fus réveillé par des hurlements à vous glacer les sangs. Depuis le bosquet de fougères géantes qui masquait mon couchage, j'assistai impuissant au massacre des hommes de mon expédition. Les Wa méritaient amplement leur réputation. Ils avaient encerclé le campement, invisibles et silencieux, puis frappé avec la rapidité foudroyante du cobra. L'homme de garde à qui j'avais confié mon arme fut tué avant même de pouvoir donner l'alarme. L'embuscade n'avait pas même duré une minute. Ils disparurent aussi rapidement, rendant la jungle au bourdonnement des insectes et au jacassement des singes.

Hébété, le cœur battant à tout rompre, je rassemblai le peu qui me restait : la montre et la boussole, les carnets, du sucre, du thé, des biscuits et un pot de cette marmelade que confectionnait si bien ma chère Amelia et qui me fit venir les larmes aux yeux.

Rebrousser chemin, c'était courir au-devant d'une mort certaine. Les Wa rôdaient toujours dans les parages. Ajouter à leur macabre collection ma tête coiffée d'un haut-de-forme n'aurait sûrement pas été pour leur déplaire. Je résolus donc de la garder le plus longtemps possible sur mes épaules et de marcher vers le nord. Le terrain s'élevait continuellement. La jungle céda peu à peu la place à un végétation plus clairsemée. Devant moi se dressait une formidable barrière rocheuse et au-delà resplendissaient les crêtes enneigées d'une chaîne de montagnes. Avec le peu de nourriture qu'il me restait, c'était folie que d'espérer traverser pareil obstacle.

La fatigue, la faim et le froid se montrèrent de fidèles compagnons, et je puis témoigner ici de toute la sollicitude dont ils m'entourèrent. À trop les écouter, ma raison vacillait. Je me dis que la vie avait une dent contre moi, une sacrée dent même, et me mis à rire, à rire si fort que toute la montagne se mit à rire avec moi. À cet instant, la folie de mon projet m'apparut dans toute l'étendue de son absurdité. Un rayon de soleil éclaira brusquement l'arête d'une faille, sourire fugace sur le front buté de la falaise. À mes pieds, cette coulée de lumière dessinait comme un chemin. Je penchai vivement la tête et aperçus, creusées dans la pierre, des traces de pas monstrueuses, des pas de Géant !

Mon cœur se mit à bondir dans ma poitrine. « Impossible ! c'est impossible ! »,
murmurais-je tout en suivant la piste imprimée dans le sol. Les traces menaient à
un défilé rocheux, crevasse verticale entaillant la falaise aussi nettement que la
morsure d'un fer de hache dans le bois tendre. J'avançai lentement, d'un pas précau-
tionneux, dans ce couloir formidable dont les parois vertigineuses masquaient la
lumière du soleil. Enfin l'horizon s'élargit : je devinai, au-delà des portes de pierre,
une immense vallée ceinturée de montagnes et parsemée d'énormes blocs rocheux.

Cette nuit-là, je bivouaquai à l'abri de la grande faille. Le lendemain, j'entrepris l'exploration de la vallée. Les rochers affectaient les formes les plus bizarres. L'un d'eux, couleur d'ivoire, arrondi au sommet et creusé d'excavations semblables à des orbites, attira tout particulièrement mon attention : c'était un crâne. « Un cimetière de Géants, pensai-je. Je touche au but ! » Après tant d'épreuves, de privations, de doutes, j'avais atteint ce pays fabuleux chanté par d'innombrables légendes.

Je consacrai le reste de cette journée bénie des dieux aux nobles tâches de la science en marche, notant ici les dimensions fabuleuses d'un squelette à demi découvert, dessinant ailleurs quelque point de vue pittoresque dont je devais à tout prix fixer le souvenir.

Le relevé topographique de cette vallée me prit un mois complet. Je dénombrai près de cent dix squelettes, mais supposai que la terre en conservait bien davantage. Certains crânes étaient surmontés de surprenants chapeaux de pierre, ce qui indiquait qu'ils avaient fait l'objet de cérémonies rituelles. L'ensemble devait dater de trois ou quatre mille ans. La cause de l'extinction de ce peuple restait un mystère à éclaircir.

Au nord-est, la vallée s'incurvait pour s'élever en amphithéâtre jusqu'à une sorte de plateau. J'escaladai degré après degré les marches de cet escalier cyclopéen. Depuis longtemps je ne me nourrissais que de lichens ou de racines additionnés d'un peu de sucre, buvant l'eau accumulée au creux des rochers. J'étais si épuisé que je perdis toute notion du temps et parvins sur le plateau dans un état de quasi-somnambulisme. D'énormes piliers semblaient soutenir le ciel. À bout de forces, je sombrai dans un profond sommeil.

La terre se mit à trembler légèrement, mais j'étais trop faible pour réagir. Un soleil froid me fit soulever les paupières, avant de s'éclipser dans l'ombre d'un de ces piliers de pierre. Horreur ! ce dernier se pencha vers moi. Il chantait d'une voix incroyablement douce. Ma raison était-elle à ce point altérée ? Était-ce un rêve ? une hallucination ?

Une angoisse irrépressible m'étreignit la poitrine ; pas un mot, pas un cri ne parvenait à franchir mes lèvres paralysées, et mon corps amaigri tressaillait sous l'empire de la fièvre.

Quelque chose me souleva dans les airs. Quatre énormes têtes, entièrement tatouées, me contemplaient avec insistance. Je perdis connaissance.

Lorsque je repris mes esprits, beaucoup plus tard sans doute, ce fut pour constater que tout ce cauchemar avait laissé place au plus beau des rêves. Ici s'étendait le pays des Géants.

Ils avaient dû prendre grand soin de moi, car toute fatigue m'avait abandonné. Au contraire, j'étais dans un état de bien-être absolu et trouvais presque naturel de côtoyer aussi simplement ces colosses à voix de sirène qui m'avaient accueilli avec tant de bienveillance. Il ne me restait plus qu'à les connaître et les comprendre. Une tâche largement à la hauteur d'Archibald Leopold Ruthmore, tout bien considéré !

Dès le début de notre rencontre, ils prirent soin de moi comme d'un enfant. Je me souviens de nos premiers vrais échanges lors d'interminables veillées nocturnes : des nuits entières, leurs voix s'entremêlaient pour appeler une à une les étoiles. Une mélodie fluide, complexe, répétitive, un tissage merveilleux de notes graves, profondes, orné de variations ténues, de trilles épurés, d'envolées cristallines.

Musique céleste, infiniment subtile, que seule une oreille inattentive aurait pu trouver monotone et qui transportait mon âme bien au-delà des limites de l'entendement. J'étais, par chance et de longue date, un observateur attentif des mouvements des astres et de la voûte céleste. J'entrepris une sorte de dictionnaire bilingue et assignai à chaque constellation la phrase musicale lui correspondant.

Ils étaient neuf, cinq Géants et quatre Géantes. Enluminés de la tête aux pieds, y compris sur la langue et les dents, d'un embrouillamini délirant de tracés, de volutes, d'entrelacs, de spirales et de pointillés d'une extrême complexité. À la longue, on pouvait discerner, émergeant de ce labyrinthe fantasque, des images reconnaissables : arbres, plantes, animaux, fleurs, rivières, océans, un véritable chant de la terre dont la partition dessinée répondait à la musique de leurs nocturnes invocations célestes. Dire qu'il ne me restait que deux carnets pour tenter de représenter tout cela ! Je dus écrire et dessiner si finement que les pages de mes carnets ressemblèrent à des peaux de Géant.

Eux-mêmes s'amusaient énormément à me voir œuvrer. C'était un spectacle dont ils ne se lassaient pas, et je compris alors qu'aucun d'eux ne savait dessiner.

D'où venaient alors ces gravures qui couraient de la plante de leurs pieds jusqu'au sommet de leurs crânes ? J'avais repéré, parmi les figures décorant le large dos d'Antala, le plus grand d'entre eux, neuf silhouettes humaines que j'interprétai comme une représentation de leur peuple. Et voici qu'un dixième personnage se mit à apparaître au milieu d'elles, d'abord imprécis, puis de mieux en mieux discernable ; plus petit que les autres, il portait un haut-de-forme !

De plus, leur peau semblait réagir aux plus infimes variations d'atmosphère : elle frissonnait au moindre souffle de vent, se moirait d'éclats mordorés au soleil, tremblait comme la surface d'un lac ou prenait les teintes sombres et orageuses de l'océan dans la tempête.

Je compris alors pourquoi ils me regardaient parfois avec pitié. Davantage que ma petite taille, c'était ma peau muette qui les peinait : j'étais un être sans parole.

Ils mangeaient très rarement, se nourrissant de plantes, de terre ou de rochers. Je riais à les voir faire leurs délices d'un mille-feuille de schiste saupoudré de mica, ou couver d'un regard gourmand un morceau de calcaire rose.

Ils m'indiquèrent les plantes comestibles dont je fis mon ordinaire pendant près d'un an. Surtout, ils me firent goûter un bouillon dont ils tenaient à garder la préparation secrète. Cela se déposait sur la langue comme le limon d'un grand fleuve, brûlait comme la lave d'un volcan et laissait dans la bouche comme un arrière-goût d'humus des forêts. L'ingrédient principal en était l'« herbe à géants », une plante inclassable que j'avais déjà vue maladroitement reproduite dans un très vieil ouvrage. J'en dénombrai quatre espèces, que je m'empressai de baptiser : *Mandragora gigas Ruthmora*, *Mandragora gigas Archibalda*, *Mandragora gigas Leopoldia*, *Mandragora gigas Amelia*...

Ils me construisirent pour l'hiver une cabane de rochers et me donnèrent en guise de couverture un morceau d'un de leurs invraisemblables manteaux tissés de plantes, de mousses et d'écorces de toutes sortes. Dégringolant en cascade depuis leurs vastes épaules, ces manteaux donnaient à leurs silhouettes des allures de rocs recouverts de sombres forêts. Ils portaient comme bijoux de lourds blocs d'ambre, et ne se séparaient jamais de ces énormes massues faites de troncs d'arbres fossilisés.

Leur origine me plongeait dans des abîmes de perplexité. Étaient-ils les derniers descendants de la lignée des Atlantes ? Pourquoi n'avaient-ils pas d'enfants ? Avaient-ils, dans d'autres contrées inaccessibles, quelques parents éloignés ?

Je comptais sur la peau de Géol, constellée d'étoiles et d'objets célestes, quarante et une apparitions de la comète de Halley, ce qui le créditait d'une existence de plus de trois mille ans ! J'identifiai les stries régulières ornant leurs poignets comme des successions de périodes de veille et de sommeil. Selon mes calculs, ils dormaient près de deux cents ans pour des périodes de veille de trois ans au maximum.

Au printemps, pendant des jours et des jours, je les vis se mesurer en joutes courtoises, chacun faisant montre d'adresse, d'agilité, de force et de panache, sous les encouragements chantés du reste de la tribu. Il y avait des lancers de rochers, des concours de saut, de danse ou de lutte. La nuit, ils célébraient joyeusement le cycle des saisons, la course des astres, les mariages sans cesse contrariés de l'eau, de la terre, de l'air et du feu.

Ils semblaient parfaitement et immuablement heureux. Mais je finis par me lasser de ces chants mélodieux, de ces interminables parades, auxquelles je ne pouvais évidemment prendre aucune part. Mon regard se perdait au-delà des cimes éclatantes, cherchant en vain le gris perle des ciels londoniens. Il y avait près de dix mois que j'étais parmi eux...

Mes amis géants perçurent sans mal mon changement d'humeur. Eux-mêmes souhaitaient me remettre sur le chemin du retour, car après la parade devait venir le temps des jeux de l'amour. Ensuite, ils dormiraient profondément, appuyés sur leurs énormes gourdins, leurs têtes colossales touchant au ciel azuré ou disparaissant dans la brume ouatée des nuages, leurs paupières closes sur d'interminables rêves. Vint le moment des adieux. Chacun d'eux m'avait offert un petit morceau d'ambre doré auquel ils attribuaient, semble-t-il, une précieuse vertu magique. Je remis à chacun une statuette d'argile modelé suspendue à un cordon. C'était cette silhouette ridicule coiffée d'un haut-de-forme qui les avait si souvent fait rire. Antala et Géol furent chargés de me raccompagner aussi loin qu'il leur serait possible. Je me tournai une dernière fois vers mes amis, les yeux baignés de larmes.

D'après mes calculs, nous pouvions aisément gagner, en traversant les hauts plateaux tibétains, les steppes de l'Asie centrale.

Juché sur leur épaule, je voyais défiler le paysage quarante pieds plus bas. Sous chacune de leurs enjambées aurait pu se nicher un village entier.

Ils marchaient la nuit, rapides et silencieux comme les nuages poussés par le vent. Le jour, ils s'allongeaient, prenant l'aspect d'une colline ou d'un rocher couvert de mousse. Depuis deux ou trois nuits, ils avaient repéré au loin une caravane qui se dirigeait droit sur nous. Ils me glissèrent dans la main quelques pépites d'or, et je me souviens de mon étonnement : comment pouvaient-ils connaître l'usage que font les hommes de ce métal précieux ? Je leur fis tristement mes adieux. Sur la joue d'Antala coulait une grosse larme de Géant.

J'entendis la rumeur de la caravane bien avant de la voir s'approcher. C'était comme une ville en marche, une multitude noyée dans un nuage de poussière. À son approche, je distinguai la masse sombre et oscillante des chameaux lourdement chargés, encadrés par les cavaliers emmitouflés d'épais manteaux.

De temps en temps, l'un d'eux se détachait en trottinant pour ramener vers le sillage du troupeau une bête égarée, agneau nouveau-né ou vieille carne récalcitrante. Un autre arrivait au grand galop du fin fond de l'horizon, debout sur son petit cheval poilu et brandissant le butin d'une chasse solitaire. Et tout cela bramait, hurlait, beuglait, éructait, blatérait, ruminait dans les effluves de sueur âcre, de crottin, de cuir et de lait caillé, sous une chape d'air chaud zébré de mouches et de moustiques. J'avais retrouvé le monde des hommes.

Je n'eus aucun mal, vu l'état de ma bourse, à me procurer cheval et bagages.

J'accompagnai la caravane sur près de sept cents miles à travers les steppes, après quoi j'obliquai vers Irkoutsk, où je savais un ami correspondant tout prêt à m'accueillir. Je voulais rejoindre au plus vite l'Angleterre. Il eut beau me présenter les mille et un dangers d'une traversée de la Sibérie en ce début d'hiver, je ne cédai en rien. Tant et si bien qu'il finit par me procurer des chevaux, un traîneau, un cocher et les indispensables sauf-conduits pour éviter toute curiosité malveillante de la part des autorités. Je gagnai Moscou puis Saint-Pétersbourg en un temps record. Je pris, dès que les conditions le permirent, le premier vaisseau en partance pour l'Angleterre.

C'est avec une joie indicible que je franchis le seuil de ma chère maison, exactement deux ans, sept mois, trois semaines et cinq jours après l'avoir quittée.

Amelia tomba dans mes bras, les joues ruisselantes de larmes. Je la rassurai sur ma maigreur et mon teint de brique : je me sentais dans une forme éblouissante.

Et, dès le lendemain, Archibald Leopold Ruthmore se mit au travail. On s'étonna de mon silence, de mes refus réitérés de toute mondanité, de ma porte obstinément close à toute visite importune. Le monde avait à nouveau les dimensions rassurantes de mon cabinet de travail, la pendule y égrenait les heures et ma plume volait sur le papier.

L'ouvrage parut le 18 août 1858. Il était composé de neuf tomes. Les deux premiers volumes retraçaient une étude complète et commentée des mythes et légendes se rapportant aux géants : Titans, Atlantes, Cyclopes, Patagons, etc.

Un troisième volume répertoriait un grand nombre de témoignages et de récits de voyages où affleuraient des indices de l'existence de peuples gigantesques.

Dans le quatrième et le cinquième volume, je reprenais ma propre relation décrivant la tribu que j'avais découverte. J'en détaillais les mœurs et les coutumes. Un dictionnaire de trois mille « mots chantés » permettait de se faire une idée de leur langage musical. Enfin, je fis appel aux meilleurs graveurs d'Angleterre pour les quatre tomes d'illustrations et veillai avec un soin jaloux à l'exacte reproduction de mes dessins.

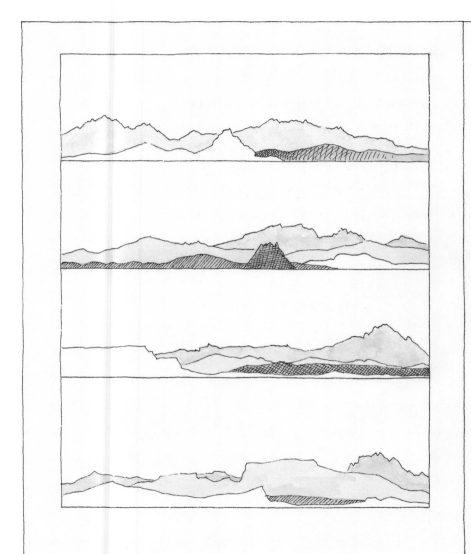

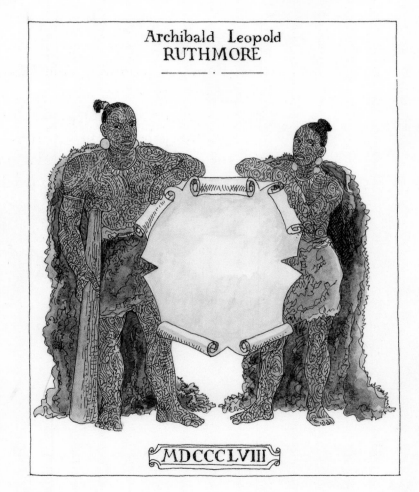

Archibald Leopold
RUTHMORE

MDCCCLVIII

L'œuvre connut un succès considérable, malgré l'opposition farouche de la communauté scientifique. Le club des explorateurs, où j'avais depuis longtemps mes habitudes, me ferma ses portes ; la Société royale de géographie me mit à l'Index. Quant aux journaux, ils prenaient bruyamment parti à coup de gros titres : « Charlatan ! », « Découvreur du siècle ! »

Je n'affirmerai pas ici que j'étais heureux de toute cette boue remuée par la rancœur, la jalousie et l'ignorance ! Mais je me consolais en pensant que tout grand découvreur rencontre invariablement la colère ou le mépris de ses contemporains. Des amitiés que j'avais crues solides sombrèrent dans cette tourmente, j'eus tout de même la bonne fortune de recevoir l'appui d'éminents confrères, et Charles Darwin lui-même m'écrivit pour m'assurer de son soutien et de son affection. La France m'offrait une chaire de « giganthropologie », créée tout spécialement pour moi à la Sorbonne, mais je la refusai, tout comme la médaille qu'un ministre parisien tenait absolument à épingler au revers de ma redingote.

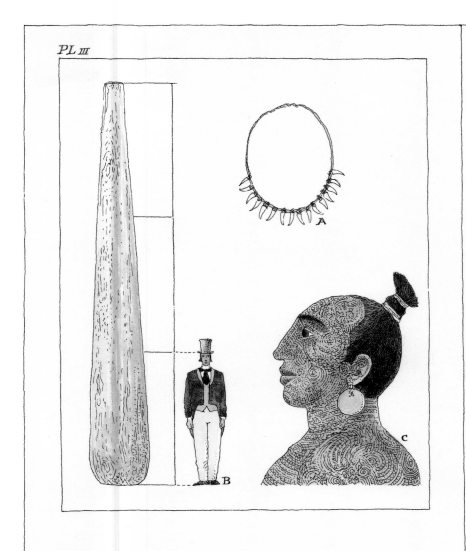

A

B

C

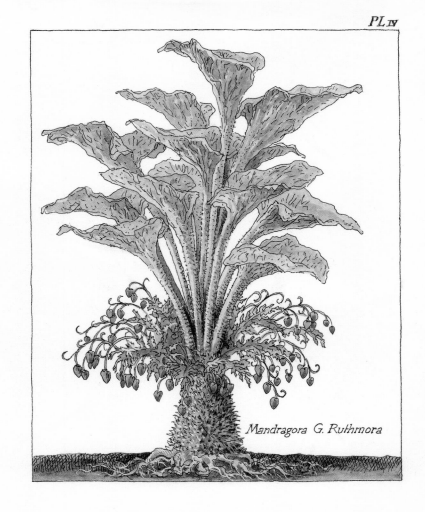

*Mandragora G. Ruthrnora*

On me combattait sur tous les fronts : impossible, ce sommeil de plusieurs siècles, sans un ralentissement mortel des fonctions vitales ; une rigolade, ce peuple perdu de seulement neuf personnes ; de l'affabulation pure, cette peau qui produisait elle-même ses propres tatouages ; et ces danses, ces simulacres de combat ? de quoi perturber la rotation du globe, déclencher des tremblements de terre en série !

Mais toutes ces récriminations, ces polémiques sans fin ne faisaient que renforcer ma détermination. Je leur ouvrirai pourtant les yeux, à tous ces nabots confits dans leur petit savoir frelaté : je le devais à la Vérité, à l'Honneur de la Science, et l'on finirait bien par m'entendre, moi, Archibald Leopold Ruthmore, découvreur et porte-parole des Géants des Hautes Vallées !

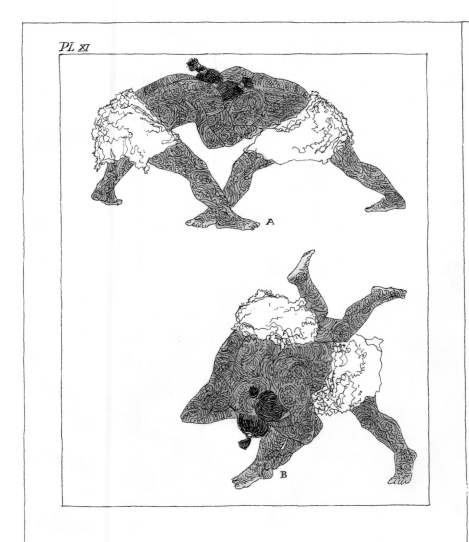

J'entamai donc une tournée de conférences à travers le pays. J'entrai dans des amphithéâtres bondés, salué par un tonnerre d'applaudissements et de sifflets. Des vagues de protestations houleuses venaient s'échouer au pied de mon pupitre, des chapeaux s'envolaient, des bagarres éclataient, je devais m'éclipser par des portes dérobées sous la protection des polices locales.

À l'invitation du maire de New York, je me rendis en Amérique pour défendre mes thèses devant un parterre de savants. Ce fut un triomphe. On était prêt à me croire, à m'aider, à m'encourager. Les fonds affluèrent et j'eus bientôt assez d'argent pour monter une seconde expédition.

Pour mon deuxième voyage, un confrère m'accompagnait, et aussi un jeune dessinateur que l'aventure tentait. À Martaban, notre arrivée fit grand bruit, ma réputation nous avait précédés. Le sud de la Birmanie était passé sous domination anglaise, et mon ami le contrebandier avait su au mieux jouer de la situation. Il s'était chargé d'organiser une petite fête. Les notables de la ville m'accueillirent au débarcadère, tous voulaient me serrer chaleureusement les mains. Entouré, ballotté, poussé, je fus porté en triomphe sur une tribune d'honneur : une surprise m'attendait.

Je vis s'avancer alors vers moi, au milieu des sonneries de trompes et des roulements de tambour, la belle et noble tête du Géant Antala, juchée sur un char que tiraient trois paires de bœufs.

Soudain, je n'entendis plus rien de tout ce brouhaha, un silence vertigineux de révolte, d'horreur et de douleur m'enveloppa. Et j'entendis, du fond de cet abîme de chagrin, une voix mélodieuse – oh ! comme je la reconnaissais ! – me reprocher dans sa belle langue musicale : « Ne pouvais-tu garder le silence ? »

On m'accompagna bien volontiers jusqu'au pays que j'avais si difficilement découvert. Une piste fraîchement taillée à travers la jungle y menait.

On s'affairait autour des corps de mes amis, gigantesques et dérisoires, comme autant de carcasses de baleines échouées. Il y avait là de faux savants, de vrais bandits et des trafiquants de toutes sortes. Chacun espérait tirer profit de ces dépouilles auprès de quelque lointain musée. Je dus batailler ferme pour qu'ils fussent ensevelis dans leur vallée : ma colère et ma douleur étaient si violentes qu'on ne sut y résister.

Le cœur lourd, je contemplai une dernière fois leurs somptueuses livrées, chatoyantes et moirées. Elles ne tarderaient pas à disparaître, comme les couleurs de ces poissons éclatants des mers de corail qui s'évanouissent lorsqu'on les a pêchés. Ils emportaient avec eux leurs plus beaux secrets, et aussi notre amitié trahie.

Au fond de moi, je voyais combien mon obstination stupide à vouloir révéler le doux secret de leur existence était cause de cet épouvantable malheur. Mes livres les avaient tués bien plus sûrement qu'un régiment d'artillerie. Neuf Géants rêveurs d'étoiles et un petit homme aveuglé par son désir de gloire, c'était toute notre histoire.

Aujourd'hui, Archibald Leopold Ruthmore n'écrit plus. Il a fait don de tous ses livres, et Amelia dispose désormais de sa maison et du reste de ses biens. Il s'est fait marin, simple matelot de la marine marchande, ne voulant pour tout horizon que la mer et le ciel. Ses pieds ont de la corne, ses mains sont devenues calleuses à force de crocher dans les cordages, sa démarche porte perpétuellement en elle le mouvement balancé des navires.

Dans chaque port, il s'est fait tatouer sur le corps un conte, une légende, une chanson. Et, le soir, on le rencontre parfois sur la jetée, entouré d'enfants le nez pointé vers lui : il leur conte ses innombrables voyages, les beautés de l'océan et de la terre. Mais jamais il ne leur parle de cet étrange objet qui repose au fond de son coffre de marin, une dent de Géant.

*Cet album a reçu*

**1992**
Totem album du Salon du livre de jeunesse de Montreuil
Grand Prix du livre de jeunesse de la Société des Gens de lettres
Cercle d'Or *Livres Hebdo* du meilleur album de jeunesse

**1993**
Prix Sorcières
Prix des critiques belges du meilleur album de jeunesse
Prix Lire au collège
Prix de la ville de Pithiviers

**1994**
Prix des Lecteurs en herbe de la ville de Bègles
Liste d'honneur IBBY-FRANCE
Hungry Mind Review, États-Unis

**1996**
Prix Rattenfänger de la ville de Hameln, Allemagne

*Sélection bibliographique*

# Les Derniers Géants
éditions Casterman
1992

# L'Atlas des géographes d'Orbæ
éditions Casterman

*Du pays des Amazones aux îles Indigo*
1996

*Du pays de Jade à l'île Quinookta*
1998

*De la Rivière Rouge au pays des Zizotls*
2000

# Le Vieux Fou de dessin
Gallimard Jeunesse
2001

# Barbababor
éditions Thierry Magnier
2003

# Grand Ours
éditions Casterman
2005

# Le Prince bégayant
Gallimard Jeunesse
2006

# Le Roi des Trois Orients
Rue du monde
2006

# La Fille des batailles
éditions Casterman
2007